名家教你写

柳公权《玄秘塔碑》

视频精讲版

◎林培养 编

中原出版传媒集团
中原传媒股份公司
河南美术出版社
·郑州·

图书在版编目（CIP）数据

柳公权《玄秘塔碑》/林培养编．— 郑州：河南美术出版社，2023.2

（名家教你写：视频精讲版）

ISBN 978-7-5401-6066-1

Ⅰ．①柳… Ⅱ．①林… Ⅲ．①楷书－碑帖－中国－唐代 Ⅳ．①J292.24

中国国家版本馆CIP数据核字（2023）第005827号

名家教你写　视频精讲版

柳公权《玄秘塔碑》

林培养　编

出 版 人　李　勇
责任编辑　王立奎
责任校对　管明锐
装帧设计　张国友
出版发行　河南美术出版社
　　　　　地　　址　郑州市郑东新区祥盛街27号
　　　　　邮政编码　450016
　　　　　电　　话　0371-65788152
印　　刷　河南瑞之光印刷股份有限公司
经　　销　新华书店
开　　本　889mm×1194mm　1/16
印　　张　4.75
字　　数　60千字
版　　次　2023年2月第1版
印　　次　2023年2月第1次印刷
书　　号　ISBN 978-7-5401-6066-1
定　　价　29.80元

出版说明

柳公权传世的楷书作品不少，其中《金刚经》《玄秘塔碑》《神策军碑》最能代表其楷书风格。

《玄秘塔碑》，全称《唐故左街僧录内供奉三教谈论引驾大德安国寺上座赐紫大达法师玄秘塔碑铭并序》，裴休撰文，柳公权书并篆额，立于唐会昌元年（841）十二月。碑现藏于陕西西安碑林。楷书28行，满行54字左右。

《玄秘塔碑》的碑主是大达法师端甫，玄奘之后的又一名高僧。唐宪宗时，因为端甫在佛学界的造诣和声名，得到宪宗的宠遇。宪宗诏端甫率缁属迎真骨于灵山，开法场于秘殿。端甫继玄奘后又一次在长安震动朝野。端甫在朝中掌内殿法仪，标表净众长达十年。据史书记载：『贵臣盛族，皆所依慕；豪侠工贾，莫不瞻向。荐金宝以致诚，仰端严而礼足，日有千数，不可殚书。』由此可见，端甫在当时的社会地位远非普通僧人可比。

碑文文辞铺排畅达，有骈文遗韵，又是名刻工邵建和、邵建初兄弟所镌，当时有『三绝』之誉。

楷书从魏晋发端，到了晚唐，风格已是多样，技法日趋成熟。柳公权『初学王书，遍阅近代笔法，体势劲媚，自成一家』。他以学王为基础，后来博涉初唐欧、颜诸家，又借鉴北碑，形成了自己挺拔劲峭的个性，与颜真卿并称『颜筋柳骨』。

《玄秘塔碑》用笔以方为主，方圆结合，刚劲中含秀润，圆厚中见锋利。结体为森严中见开阔，平稳中有生动，气象雍容，劲健清新。笔画主动配合结体，字法空间分布严密，从而把楷书推向了精整化的高峰。

为方便书法爱好者学习，特邀请著名书法家林培养老师对全书进行临摹示范，并选取范字进行讲解。另外，运用现代科技手段，制作成二维码，扫码即可观看讲解视频，以飨读者。

唐故左街僧录内

供奉三教谈论

引驾大德安

备注：碑中残损较为严重的字，在视频中作者没有临写。

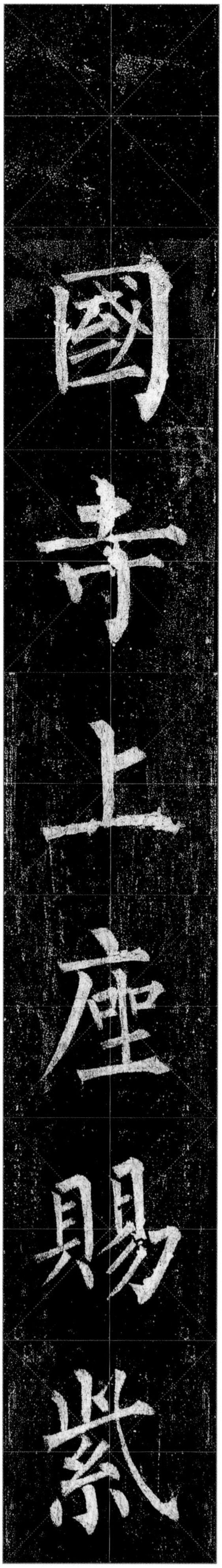

国寺上座赐紫

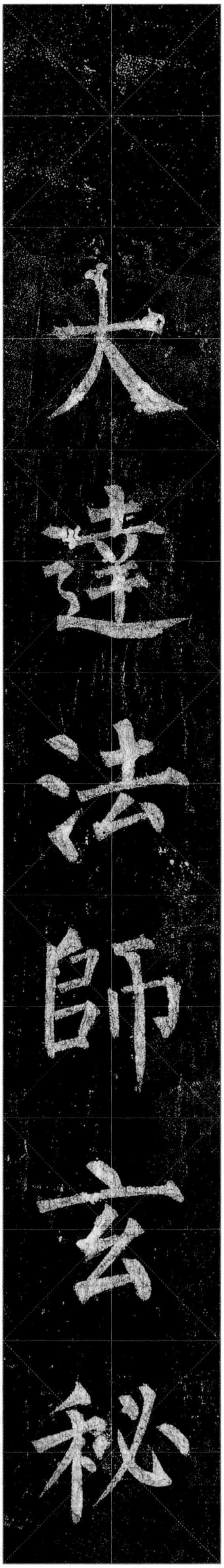

大达法师玄秘

塔碑铭并序

江南西道都團

江南西道都团

練觀察處置等

练观察处置等

使朝散大夫兼

使朝散大夫兼

御史中丞上柱

国赐紫金鱼袋

裴休撰

正議大夫守右

正议大夫守右

散騎常侍充集

散骑常侍充集

賢殿學士兼判

贤殿学士兼判

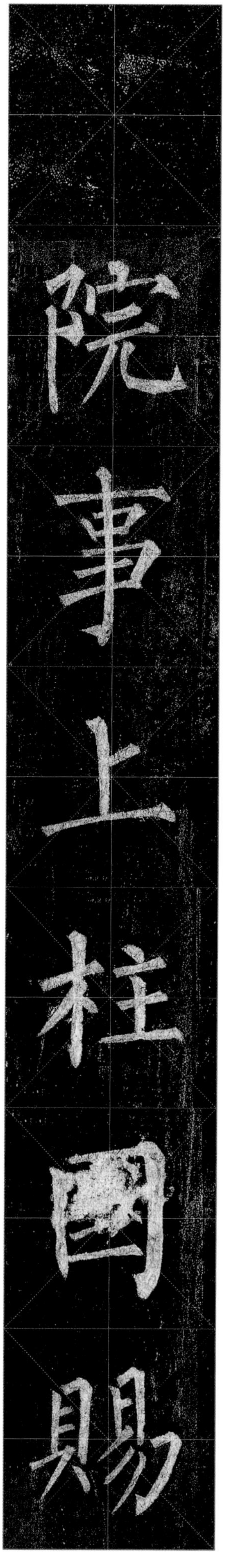

院事上柱国赐

紫金鱼袋柳公

权书并篆额

玄祕塔者大法師

玄秘塔者大法师

端甫[illegible]骨之所歸

端甫灵骨之所归

也於戲爲丈夫者

也於戏为丈夫者

在家则张仁义礼

乐辅天子以扶

世导俗出家则运

慈悲定慧佐

如来以阐教利生

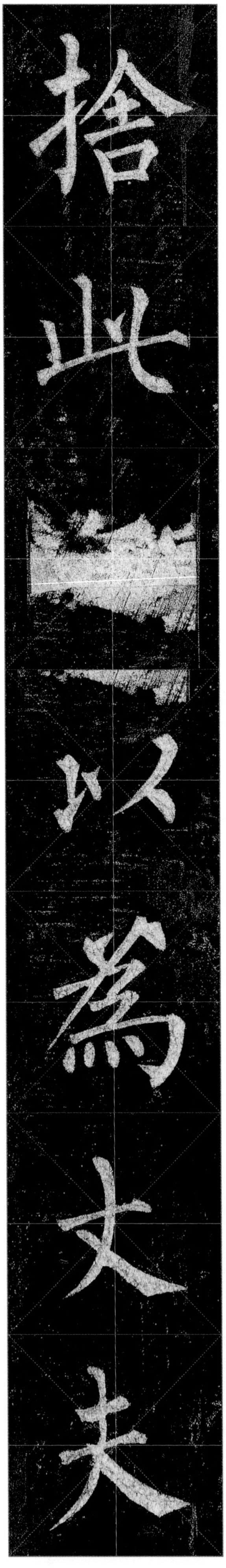

舍此无以为丈夫

也背此无以为达

道也和尚其出

家之雄乎天水赵

氏世爲秦人初母

氏世为秦人初母

張夫人夢梵僧謂

张夫人梦梵僧谓

曰當生貴子即出

曰当生贵子即出

囊中舍利使吞之

囊中舍利使吞之

誕所夢僧白晝

及诞所梦僧白昼

入其室摩其頂曰

入其室摩其顶曰

必當大弘法教言

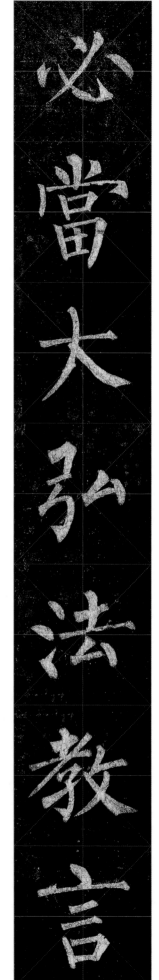

必当大弘法教言

訖而滅既成人高

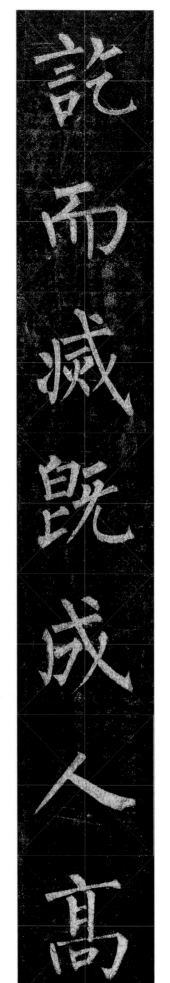

讫而灭既成人高

顙深目大頥方口

颡深目大颐方口

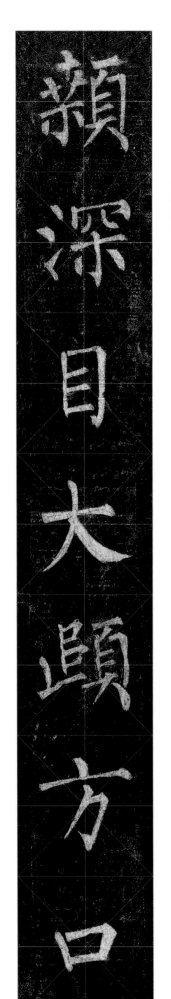

长六尺五寸其音

如钟夫将欲荷

如来之菩提凿生

靈之耳目固必有

灵之耳目固必有

殊祥奇表歟始十

殊祥奇表欤始十

歲依崇福寺道悟

岁依崇福寺道悟

禪師爲沙彌十七

禅师为沙弥十七

正度爲比丘隸安

正度为比丘隶安

國寺具威儀於西

国寺具威仪于西

明寺照律師稟持

明寺照律师禀持

犯於崇昇律

犯于崇福寺升律

師傳唯識大義於

师传唯识大义于

安國寺素法師通

安国寺素法师通

涅槃大旨於福林

涅槃大旨于福林

寺崟法師復夢梵

寺崟法师复梦梵

僧以舍利滿琉璃

僧以舍利满琉璃

器使吞之且曰三

器使吞之且曰三

藏大教盡貯汝腹

藏大教尽贮汝腹

矣
經律論無

矣自是经律论无

敵於天下囊括川

敌于天下囊括川

注逢源會委滔滔

注逢源会委滔滔

然莫能濟其畔岸

然莫能济其畔岸

矣夫將欲伐株杌

矣夫将欲伐株杌

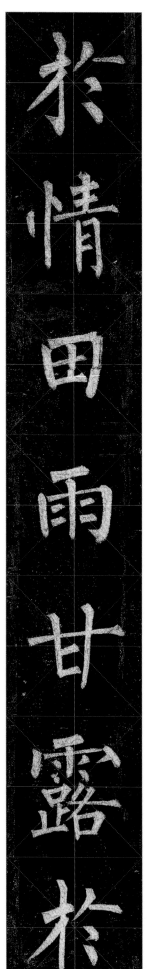

於情田雨甘露於

于情田雨甘露于

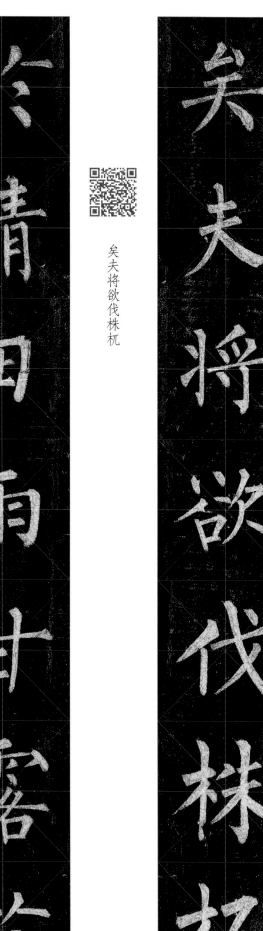

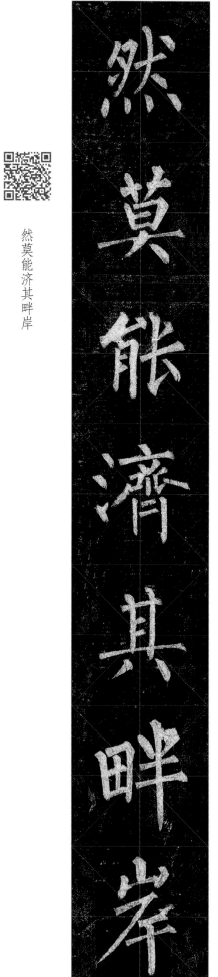

法種者固必有勇

法种者固必有勇

智宏辯歟無何謁

智宏辩欤无何谒

文殊於清涼衆聖

文殊于清凉众圣

皆現演大經於太

皆现演大经于太

原傾都畢會

原倾都毕会

德宗皇帝聞其名

德宗皇帝闻其名

徵之一見大悅常

征之一见大悦常

出入禁中與儒

出入禁中与儒

道議論賜紫方袍

道议论赐紫方袍

歲時錫施異於他

岁时锡施异于他

等復詔侍

等复诏侍

皇太子於東朝

皇太子于东朝

順宗皇帝深仰其

顺宗皇帝深仰其

風親之若昆弟相

风亲之若昆弟相

與卧起

与卧起

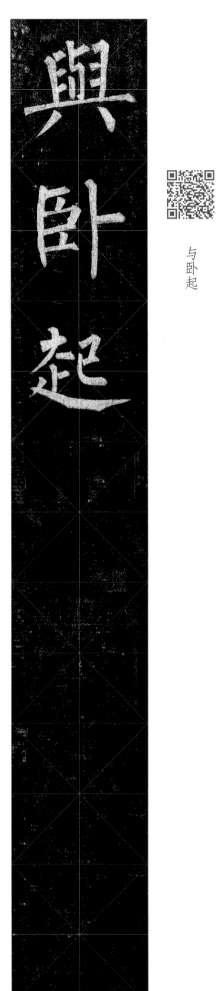

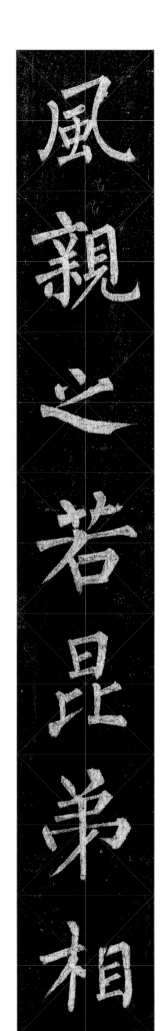

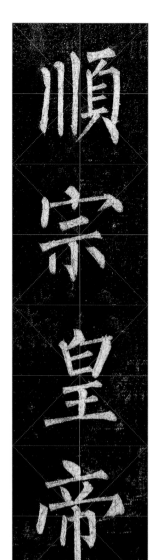

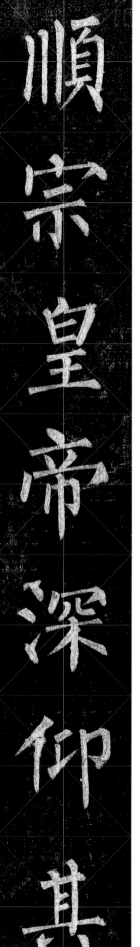

恩禮特隆

恩礼特隆

憲宗皇帝數幸其

宪宗皇帝数幸其

寺待之若賓友常

寺待之若宾友常

承顧問注納偏

承顾问注纳偏

厚而和尚符彩

厚而和尚符彩

超邁詞理響捷迎

超迈词理响捷迎

合上旨皆契真

合上旨皆契真

乘雖造次應對未

乘虽造次应对未

嘗不以闡揚為務

尝不以阐扬为务

繇是

繇是

天子益知

天子益知

佛爲大聖人其教

佛为大圣人其教

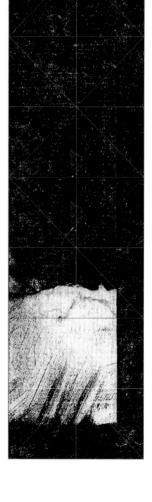

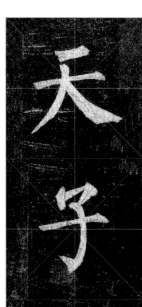

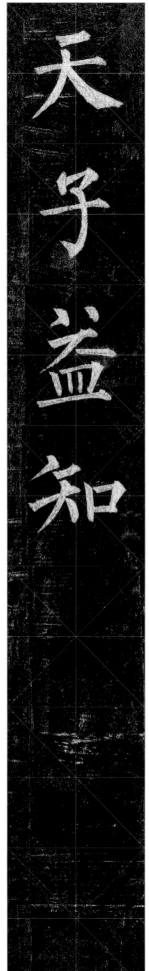

有大不思議事當

有大不思议事当

是時

是时

朝廷方削平區夏

朝廷方削平区夏

縛吳斡蜀瀦蔡蕩

缚吴斡蜀潴蔡荡

鄆而

郓而

天子端拱無事

天子端拱无事

詔和[illegible]緇屬迎

诏和尚率缁属迎

眞骨於靈山開法

真骨于灵山开法

場於秘殿爲人

场于秘殿为人

请福亲奉香灯

既而刑不残兵不

黩赤子无愁声苍

海無驚浪蓋參用

海无惊浪盖参用

眞宗以毗政

真宗以毗大政

之明効也夫將欲

之明效也夫将欲

顯大不思議之道

显大不思议之道

輔大有為之君固

辅大有为之君固

必有冥符玄契歟

必有冥符玄契欤

掌內殿法儀錄

掌内殿法仪录

左街僧事以標表

左街僧事以标表

淨衆者凡一十年

净众者凡一十年

講涅[illegible]識經論

讲涅槃唯识经论

處當仁傳授宗主

处当仁传授宗主

以開誘道俗者凡

以开诱道俗者凡

一百六十座運三

一百六十座运三

密於瑜伽契無生

密于瑜伽契无生

於悉地日持諸部

于悉地日持诸部

十餘万遍指淨土

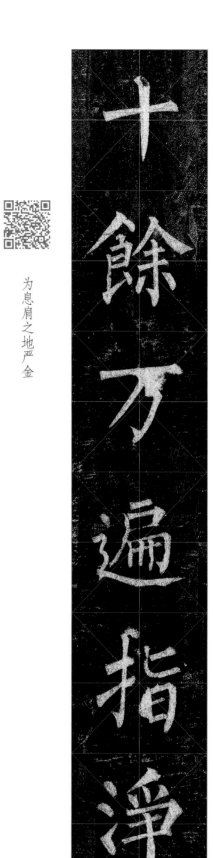

十余万遍指净土

爲息肩之地嚴金

为息肩之地严金

報法之恩前

经为报法之恩前

後供施數十百万

后供施数十百万

悉以崇飾殿宇窮

悉以崇饰殿宇穷

極雕繪而方丈匡

极雕绘而方丈匡

床静虑自得贵臣

盛族皆所依慕豪

侠工贾莫不瞻向

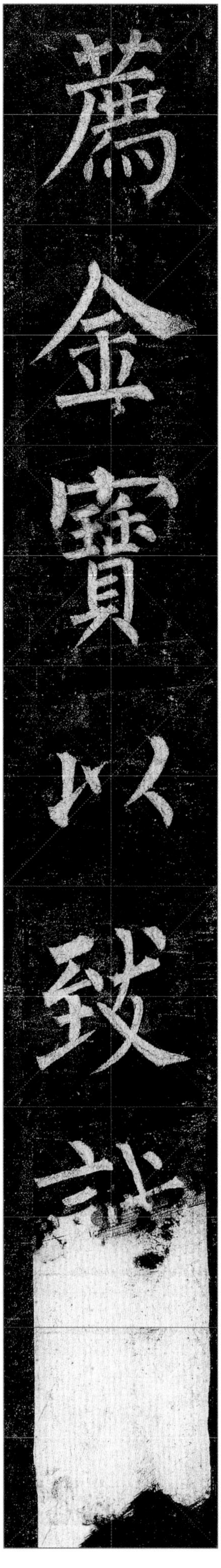

荐金宝以致诚仰

端严而礼足日有

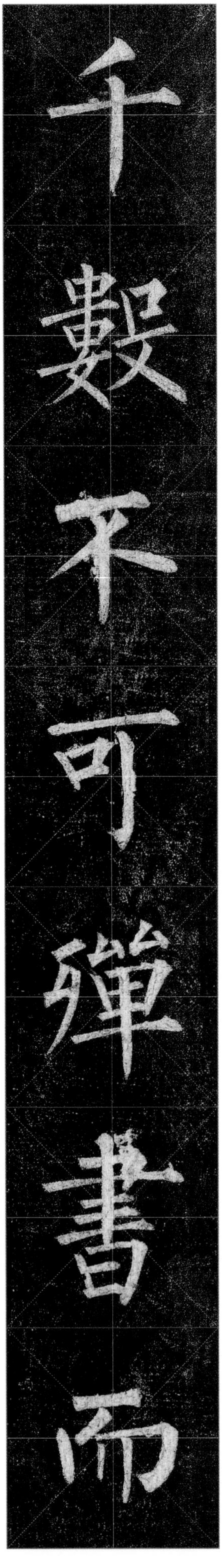

千数不可弹书而

和尚即眾生以觀

和尚即众生以观

佛離四相以修善

佛离四相以修善

心下如地坦無丘

心下如地坦无丘

陵王公舆台皆以

诚接议者以为成

就常不轻行者唯

和尚而已夫將欲

和尚而已夫将欲

駕橫海之大航拯

驾横海之大航拯

迷途於彼岸者固

迷途于彼岸者固

必有奇功妙道歟

必有奇功妙道欤

以開成元年六月

以开成元年六月

一日西向右脅而

一日西向右胁而

灭当暑而尊容若

生竟夕而异香犹

郁其年七月六日

遷於長樂之南原

迁于长乐之南原

遺命荼毗得舍利

遗命茶毗得舍利

三百餘粒方熾而

三百余粒方炽而

神光月皎既烬而

灵骨珠圆赐谥曰

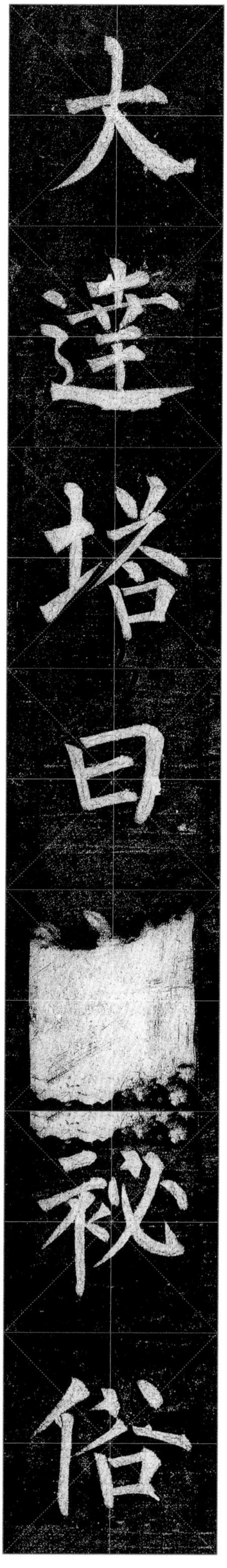

大达塔曰玄秘俗

壽六十七僧臘卌

寿六十七僧腊卌

八門弟子比丘比

八门弟子比丘比

丘尼約千餘輩或

丘尼约千余辈或

講論玄言或紀綱

讲论玄言或纪纲

大寺脩禪秉律分

大寺修禅秉律分

作人師五十其徒

作人师五十其徒

皆爲達者於戲

皆为达者於戏

和尚[illegible]出家之雄

和尚果出家之雄

乎不然何至德殊

乎不然何至德殊

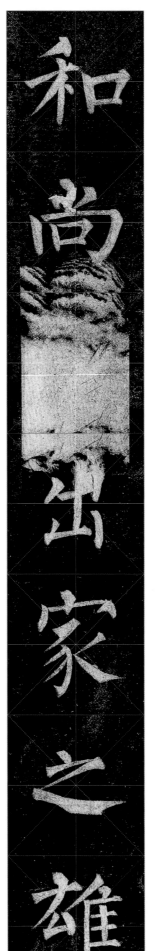

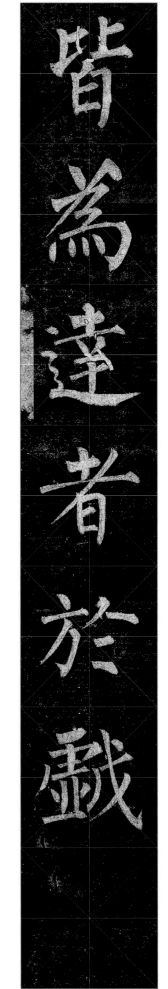

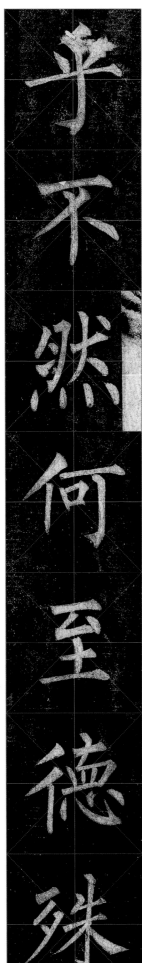

祥如此其盛也承

祥如此其盛也承

襲弟子義均自政

袭弟子义均自政

正言等克荷先業

正言等克荷先业

虔守遺風大懼徽

虔守遗风大惧徽

猷有時堙没而今

猷有时堙没而今

閤門使劉公法[illegible]

阁门使刘公法缘

最深道契弥固亦

以为请愿播清尘

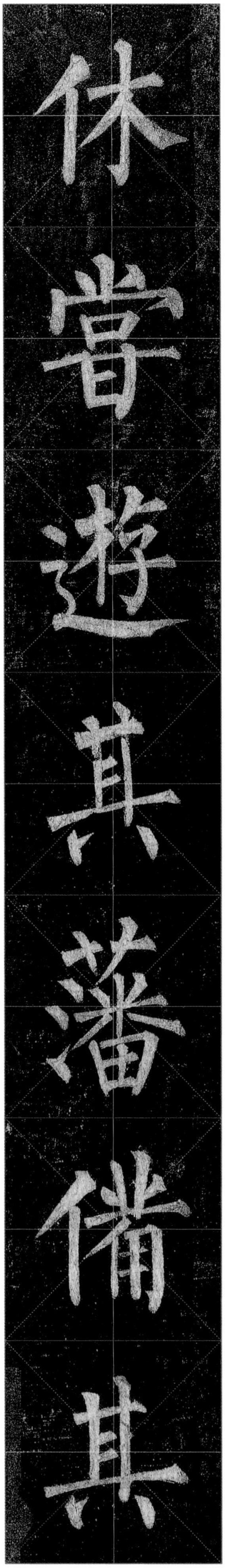

休尝游其藩备其

事隨喜讚歎蓋無

事随喜赞叹盖无

愧辭銘曰

愧辞铭曰

賢刼千佛第四能

贤劫千佛第四能

仁哀我生灵出经

破尘教纲高张孰

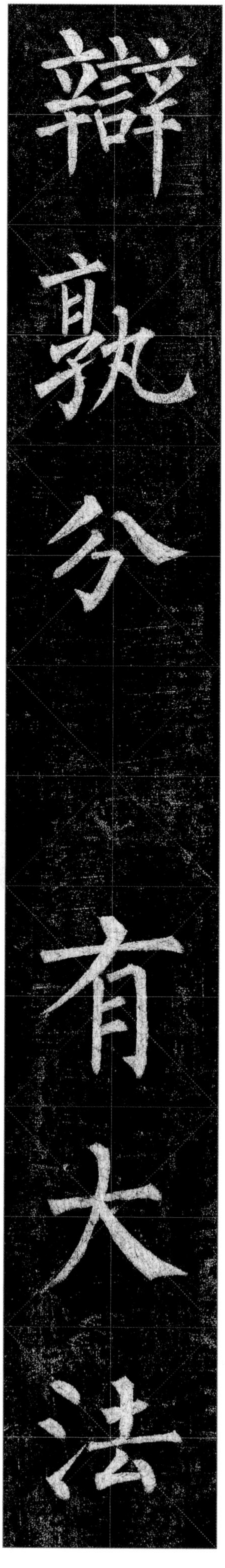

辩孰分有大法

師如從親聞經律

师如从亲闻经律

論藏戒定慧學深

论藏戒定慧学深

淺同源先後相覺

浅同源先后相觉

異宗偏義孰正孰

异宗偏义孰正孰

駮有大法師為

驳有大法师为

作霜雹趣眞則滯

作霜雹趣真则滞

涉俗則流象狂猿

涉俗则流象狂猿

輕鈎檻莫收柅制

轻钩槛莫收梶制

刀斷尚生瘡疣

刀断尚生疮疣

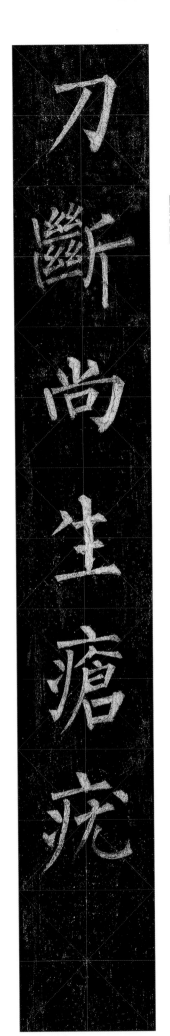

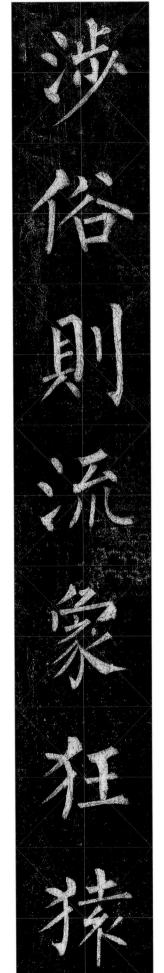

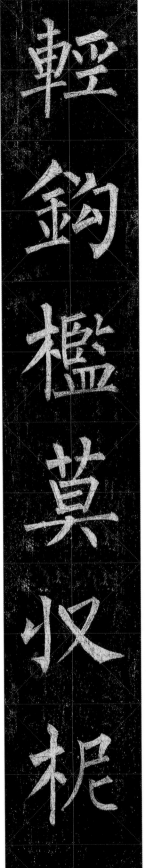

有大法師絕念而

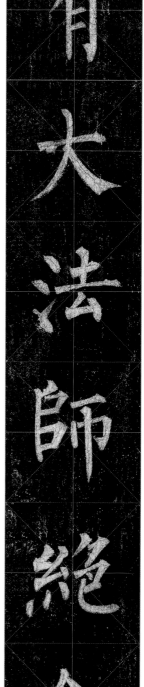

有大法师绝念而

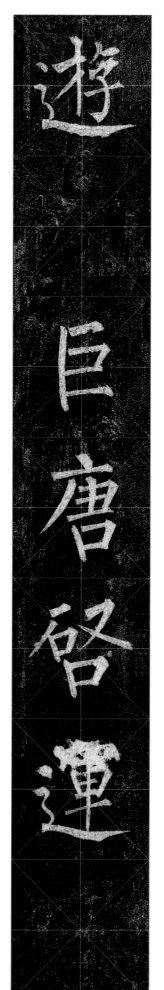

遊巨唐啓運

游巨唐启运

大雄垂教千載冥

大雄垂教千载冥

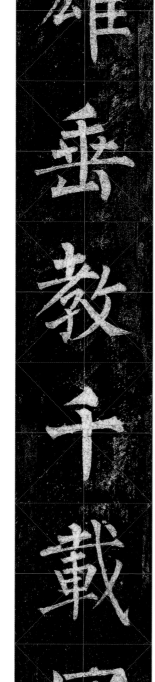

符三乘迭耀寵

符三乘迭耀宠

重恩顧顯闡讚導

重恩顾显阐赞导

有大法師逢時感

有大法师逢时感

召空門正闢法宇

召空门正辟法宇

方開崢嶸棟梁一

方开峥嵘栋梁一

旦而摧水月鏡像

旦而摧水月镜像

無心去來徒令後

无心去来徒令后

學瞻仰徘徊

学瞻仰徘徊

會昌元年十二月

会昌元年十二月

廿八日建

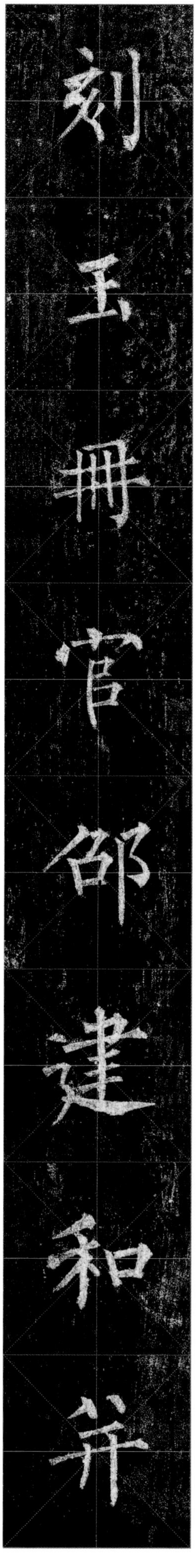

刻玉册官邵建和并

弟建初镌

谈

唐

德

故

安

街

师

国

铭

座

南

赐

察

西

朝

道

柱

观

骑

金

集

鱼

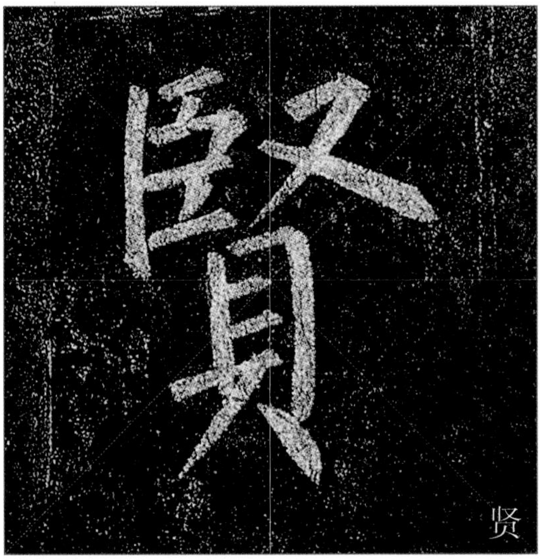
贤

守

事

书

者

之

归

为

来

家

教

张

无

世

荷

雄

寺

秦

威

音